# Franklin

## czeka na siostrzyczkę

Cole'owi i Rachel Shearerom – P.B.
Dla mojej małej siostrzyczki, Lindy, z pozdrowieniami – B.C.

Franklin jest znakiem zastrzeżonym Kids Can Press Ltd.

Tekst © 2000 Contextx Inc.
Ilustracje © 2000 Brenda Clark Illustrator Inc.

Ilustracje w książce przygotowano z pomocą Shelley Southern.

Copyright © Wydawnictwo DEBIT sp. j.

43-300 Bielsko-Biała, ul. M. Gorkiego 20
tel. 33 810 08 20
e-mail: handlowy.debit@onet.pl

**Naszą pełną ofertę wydawniczą można
znaleźć w księgarni internetowej
www.wydawnictwo-debit.pl**

**www.Franklin.pl**

ISBN 978-83-7167-213-2

# Franklin
## czeka na siostrzyczkę

*Tekst* Paulette Bourgeois
*Ilustracje* Brenda Clark
*Tłumaczenie* Patrycja Zarawska

WYDAWNICTWO

DEBIT

FRANKLIN jest już dużym chłopcem, chodzi przecież do szkoły! Do szkoły zaczął chodzić w jesieni, a teraz jest zima. Franklin przeżył już niejedną jesień, zimę, wiosnę i lato. Niedawno w szkole rysowali pory roku. W lecie wszystko jest zielone: trawa i liście na drzewach. Jesienią świat staje się kolorowy – liście robią się żółte, czerwone i brązowe. Tyle różnych kredek! Zimę trudno narysować, bo wszędzie leży biały śnieg. A wiosna… – ach! Franklin westchnął tęsknie – wiosna to wspaniała pora roku. Ciepła i przyjemna, warto czekać na nią całą zimę.

Tym razem wiosna miała być naprawdę niezwykła. Franklin ciągle o tym rozmyślał – wracając ze szkoły, pomagając w domu i lepiąc żółwiowe bałwanki ze śniegu.

Kilka dni temu rodzice Franklina powiedzieli mu, że będzie miał małą siostrzyczkę albo braciszka. Dzidziuś urodzi się na wiosnę. Franklin aż podskoczył z radości. To wspaniała nowina! Zawsze chciał być starszym bratem. Ćwiczył nawet na misiach – duży miś dostał malutką siostrzyczkę. Opiekował się nią i pilnował, żeby małej Misi nie przydarzyło się nic złego.

– Będę uspokajać dzidziusia, gdy będzie płakał – powiedział poważnie Franklin rodzicom. – I mogę go nosić, aż mu się odbije!

– O, znasz się na wychowywaniu małych dzieci! – ucieszyła się mama. – Świetnie, będziesz nam pomagał.

– Zapowiadasz się na dobrego starszego brata – pochwalił go tato.

Od tamtej pory Franklin codziennie pytał rodziców:
– Daleko jeszcze do wiosny?
Mama uśmiechała się na to, klepała się lekko po brzuchu i odpowiadała cierpliwie:
– Już niedaleko, ale to jeszcze nie jutro.
Franklin nie bardzo mógł uwierzyć w „niedaleko". Na ziemi wciąż pełno było śniegu, trzymał mróz, na ślizgawce lód ani myślał stopnieć. Gdzie tam do wiosny!

Dziś w szkole była lekcja o oznakach wiosny.

– Co dzieje się na wiosnę? – zapytała pani sowa.

– Wyrastają rośliny.

– Kwitną kwiaty.

– Jest ciepło – odpowiadali uczniowie.

– Rodzą się dzieci – powiedział Franklin z przekonaniem. Zerknął przy tym w okno, żeby sprawdzić, czy na podwórku przypadkiem nie widać wiosny.

Niedawno w szkole zakładali wiosenną hodowlę. Każdy uczeń posadził w doniczce albo jakimś pojemniku ziarno fasoli. Będą obserwować, jak rośliny wyrastają z ziemi i robią się coraz większe. Wszystkie małe roślinki powschodziły już i wyciągnęły listki do słońca, tylko u Franklina nie było ani śladu fasolki. Franklin martwił się ogromnie. Z niepokojem patrzył na swój pojemnik z ziemią.

– Twoja roślinka rośnie – pocieszała go pani sowa. – Nie widać jej, bo kiełkuje pod ziemią, ale niedługo wyjdzie, zobaczysz.

„Wszyscy mówią: niedługo – pomyślał zniecierpliwiony Franklin. – Takie czekanie jest okropne".

W domu Franklin pomógł rodzicom przygotować pokój
na przybycie dzidziusia. Razem z tatą przynieśli łóżeczko,
a z mamą urządzili kącik do przewijania. Potrzebne będą
malutkie ubranka, zasypka, oliwka, krem dla niemowląt,
delikatne chusteczki i pieluszki – dużo pieluch!

– Czy dzidziuś nie mógłby się trochę pośpieszyć? – zapytał
Franklin mamę.

– Nie, kochanie – odparła mama, przytulając synka. –
Dzidziuś przyjdzie do nas w swoim czasie. Nie byłoby dobrze,
gdyby pojawił się wcześniej.

Brzmiało to tak tajemniczo, że Franklin pokręcił głową
z niedowierzaniem.

– Cierpliwości, wiosna jest tuż, tuż – dodała mama.

Franklin nie mógł doczekać się wiosny. Pani w szkole mówiła, że na wiosnę przyroda budzi się do życia. „Trzeba ją obudzić, może w tym roku zaspała" – pomyślał Franklin. Całe popołudnie chodził po okolicy i hałasował. Z całych sił walił łyżką w patelnię, dzwonił dzwoneczkami i nawoływał, aż sąsiedzi mieli go serdecznie dość.

Nie wyglądało jednak na to, żeby kogoś obudził.

„Może przyroda jest głucha?" – zastanawiał się z niepokojem.

Franklin przypomniał sobie, o czym niedawno uczyli się w szkole na lekcji. Na wiosnę z ziemi wychodzą rośliny i kwitną kwiaty. „Sprawdzę w ogrodzie" – postanowił.

Niestety, z ziemi nie wychodziły nowe rośliny, nie było też żadnych kwiatów. To straszne. Wiosna nie nadchodzi i pewnie już nie nadejdzie. Na wiosnę w rodzinie Franklina miał się pojawić dzidziuś. Jeśli nie będzie wiosny, nie będzie też pewnie dzidziusia i Franklin nigdy nie zostanie starszym bratem, a tak bardzo tego pragnie!

Przygnębiony Franklin wlókł się wolno do domu. Przed drzwiami natknął się na tatę. Synek miał taką smutną minę, że tato zaniepokoił się.

– Tym razem wiosna raczej na pewno nie przyjdzie – powiedział zmartwiony Franklin.

– Nie martw się! – zawołał raźno tato. – Kiedy luty puści, to marzec przypiecze, ale czasem i w marcu zetnie wodę w garncu. A na kwiecień lada z czego wianek upleciem.

Tato czasami tak zagadkowo mówi. Franklin woli bawić się z nim wesoło zamiast rozwiązywać takie zagadki.

Mama od kilku dni zapowiadała, że w niedzielę będzie ciepły dzień. I wspominała też, że spadnie deszcz. Franklin z góry bardzo się cieszył. Już od soboty przygotowywał się na deszcz. Ciepło i deszcz zapowiadają wiosnę, bo przecież w zimie pada raczej śnieg.

Ojej... Mamie chyba nie o to chodziło. W niedzielę wprawdzie nie było mrozu, ale „ciepły dzień" oznaczał, że przychodzą goście, a zapowiadany deszcz okazał się deszczem prezentów.

Goście życzyli rodzicom wszystkiego najlepszego i opowiadali o różnych dzidziusiach. Ciocia Harriet przywiozła dla maleństwa karuzelkę do powieszenia nad łóżeczkiem, dla mamy wielki bukiet kwiatów, a dla Franklina latawiec. Mama powąchała kwiaty i wstawiła je do wazonu.

– Pięknie pachną – uśmiechnęła się do cioci. – Jakby wiosna już była za progiem.

– Hurra! – ucieszył się Franklin. Więc jednak wiosna jest blisko.

Następnego dnia w szkole Franklin ogłosił,
że przyszła wiosna.

– Masz rację – powiedziała pani sowa. – Patrz!
O! Fasolka Franklina wyjrzała wreszcie z ziemi.
Mała roślinka najwyraźniej poczuła wiosnę.

– Jest taka delikatna i taka śliczna – rozczulił się
Franklin.

Gdy Franklin wrócił ze szkoły, w domu zamiast taty i mamy czekała na niego babcia.

– Gratulacje, Franklinie! – zawołała. – Zostałeś starszym bratem. Dziś rano urodziła się twoja siostrzyczka.

Franklin z radości zatańczył z babcią.

– Czy mógłbym ją zobaczyć? – zapytał w końcu, gdy babcia odetchnęła po tańcu.

– Oczywiście! Dzidziuś jest razem z mamą w szpitalu. Tato już tam pojechał.

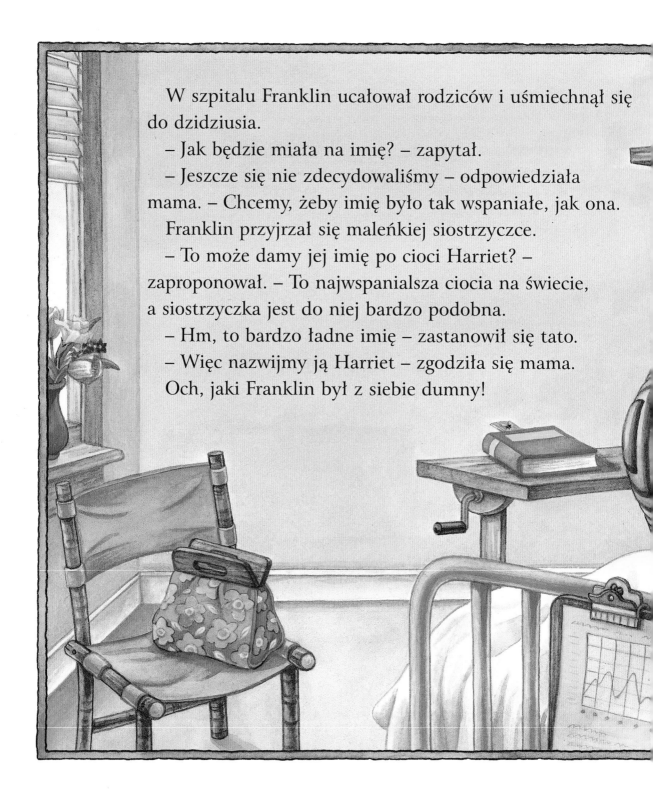

W szpitalu Franklin ucałował rodziców i uśmiechnął się do dzidziusia.

– Jak będzie miała na imię? – zapytał.

– Jeszcze się nie zdecydowaliśmy – odpowiedziała mama. – Chcemy, żeby imię było tak wspaniałe, jak ona.

Franklin przyjrzał się maleńkiej siostrzyczce.

– To może damy jej imię po cioci Harriet? – zaproponował. – To najwspanialsza ciocia na świecie, a siostrzyczka jest do niej bardzo podobna.

– Hm, to bardzo ładne imię – zastanowił się tato.

– Więc nazwijmy ją Harriet – zgodziła się mama.

Och, jaki Franklin był z siebie dumny!

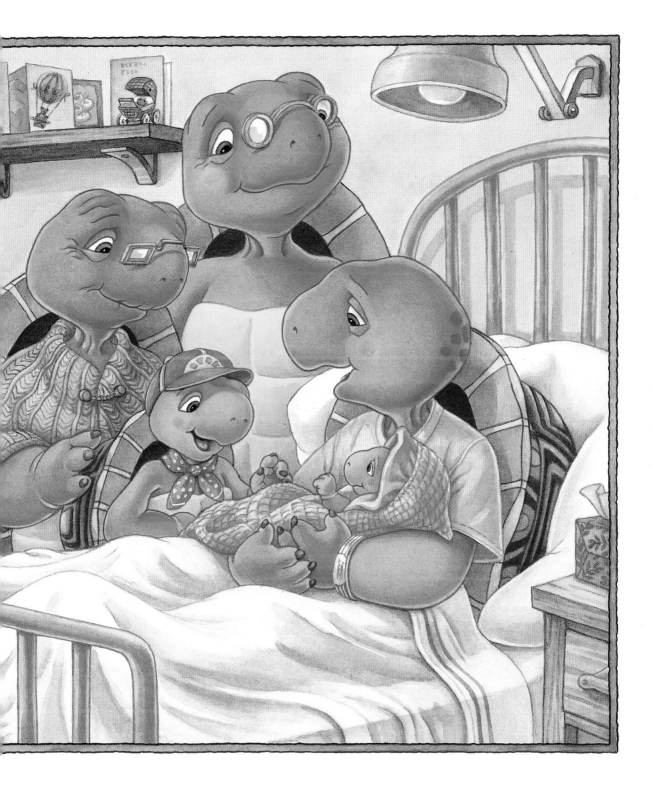

Fanklin zapytał, czy mógłby wziąć małą siostrzyczkę na ręce. Ostrożnie trzymał dzidziusia i delikatnie kołysał go w ramionach.

– Cześć, siostrzyczko – powiedział cicho. – To ja, twój starszy brat Franklin, wiesz? Nie masz pojęcia, jak długo na ciebie czekałem. Całą zimę!